神奇校车

漫游电世界

文：乔安娜·柯尔［美］　　图：布鲁斯·迪根［美］

四川出版集团
四川少年儿童出版社

版权合同登记号
图进字：21-2005-024

图书在版编目（CIP）数据

漫游电世界 /（美）柯尔著;（美）迪根绘; 谢徽译.
成都: 四川少年儿童出版社，2005
（神奇校车）
ISBN 7-5365-3460-4
Ⅰ.漫… Ⅱ.①柯… ②迪… ③谢… Ⅲ.电学－儿童读物 Ⅳ.0441.1-49

中国版本图书馆 CIP 数据核字（2005）第 044253 号

神奇校车——漫游电世界　　文：乔安娜·柯尔(美)　图：布鲁斯·迪根(美)　译：谢徽
Shenqi Xiaoche —— Manyou Dian Shijie

策　　划：颜小鹏
责任编辑：李奇峰　漆仰平
封面设计：周筱刚
装帧设计：曹雨锋
责任校对：熊向全
责任印制：王　春

出　　版：四川出版集团　四川少年儿童出版社
地　　址：四川成都槐树街2号　邮政编码：610031
电　　话：028-86259237(发行部)　028-86259192(总编室)　010-85800316(编辑部)
经　　销：全国新华书店
印　　刷：四川省印刷制版中心有限公司
成品尺寸：210mm×250mm
印　　张：3
版　　次：2005年5月第一版
印　　次：2006年5月第三次印刷
印　　数：13,001～18,000册
书　　号：ISBN 7-5365-3460-4/O·1
定　　价：10.00元

电的旅程

说起“电”，人们似乎对它太熟悉了。环顾周围，电几乎无处不在，它与日常生活息息相关，不可或缺。但它又似乎是神秘而陌生的，因为如果用电不当，就会招致飞来横祸，轻则毁物伤人，重则断送生命。不少人因此对换灯泡、更换保险丝这类关于电的小事情心惊胆颤。这样看来，普及电的基本知识依然是十分必要的。

如何从孩子的角度来“玩”知识、“玩”科学，对一个大人来说是一项超难的考验。“神奇校车”的作者抓住了孩子好奇心强的特点，别出心裁地采用“化身游历”的手法写作，使得本来有些深奥、而且稍微枯燥的科学道理能够与孩子们的生活体验结合起来，转化成身临其境的感受，让科学变得通俗易懂、趣味盎然。书中每页内容都配有作为“注释”的框格，不失严谨地给出了相关的基本知识，也不失时机地给出了扩展知识面的内容。关键之处还配有简明的小实验装置图，小读者可以照着图自己动手进行实验。在涉及动手操作时，书里都特意说明了保护自身安全的注意要点及方法。随后还提出了一些引导性的问题，供孩子们巩固已知内容并进行深入思考。全篇的叙述极具启发性，内容点到为止，绝无繁赘，给小读者留有充分的思考空间。即便是成年读者，也可以从中得到启发和教益。

总之，本书以新颖活泼、浅显易懂、轻松有趣、好玩好懂的图文让孩子们较早地认识五光十色的电世界，感受到科学之宫的瑰丽与神奇，从而激发他们的兴趣和求知欲望，为将来的进一步成长搭桥铺路。

孩子们，赶快登上这趟神奇的校车，开始你们的科学之旅吧！

北京科技大学物理系教授

神奇校车

开进中国了！

请搭上神奇校车，跟着神奇的弗瑞丝小姐及其精怪顽皮的学生，历经一场又一场天翻地覆、惊心动魄又刺激精彩的自然科学大探索……

神奇校车：地球内部探秘

★美国公共电视网儿童节目“阅读一道彩虹”精选最佳童书

★“亚马逊国际网络书店”读者五颗星最佳评价

弗瑞丝小姐要求大家带石头到学校来，可许多同学都忘了。去野外旅行的时机到了！每个人都抓把铲子或电动钻路机开始向下挖。神奇校车钻穿地壳，进到地球中心，又从火山冒出来。从来没有这样采集岩石标本的。下一次，也许同学们就会乖乖地做家庭作业了！跟着最另类的地球科学老师，来趟前所未有的惊奇之旅，直攻地球科学的核心！

神奇校车：在人体中游览

★本书荣获ＩＲＰ教师精选最佳童书

★ＡＢＣ最佳童书

★号角出版社书迷童书首选

★纽泽西州年度童书首选

弗瑞丝小姐和她班上的学生正坐在神奇校车上要前往博物馆。但就在他们停下来吃午餐时，灾难发生了。校车不但缩得很小，还掉入一包“奶酪饼”中，整班学生便连人带车被吞了下去！这下子，弗瑞丝小姐的学生只有从人体内观看人体的一切了。他们首先穿越胃、小肠，进入血液；接着又去向心脏、肺和大脑。他们要如何才能离开人体呢？请关紧车窗，扣好安全带，一段让你心跳加速的旅行就要开始了！

神奇校车：漫游电世界

★获“亚马逊国际网络书店”读者五星最佳评价

弗瑞丝小姐和班里学生坐着神奇校车全部都缩小到可以钻进一条电线里，展开了一场“电的冒险之旅”。他们先到发电厂，仔细地参观电是怎么被“发”和“传”出来的；接着混入图书馆的灯泡中，看它如何发亮；再到餐厅的烤面包机里，看它是怎么烤面包的；然后钻到菲比家的电器里，去看电锯怎样锯东西、吸尘器怎么吃灰尘、电视怎么产生影像和声音……最后，再从学校的插座里冒出来，回到教室。

神奇校车：水的故事

★本书荣获美国“波士顿环球报——号角出版社”为非小说类最有价值童书

★“亚马逊国际网络书店”读者五颗星最佳评价

当弗瑞丝小姐宣布这次的校外教学要去自来水厂时，谁也没料到，这趟“水的旅行”，竟然会那么惊险刺激！神奇校车一飞冲天，停在一朵白云上，全班学生顿时都变成了大大小小的雨滴，先跌落到山中的小溪里，流浪到水库，又潜进了自来水厂，洗澡、消毒一番后，泡在配水塔里，然后再钻进输水管，一路游到学校的女生厕所，哗啦啦——哗啦啦—— 嘿！全班一起从洗手台的水龙头里喷射出来……

神奇校车：海底探险

★“全美书商联盟”精选最佳童书
★美国《教育杂志》非小说类神奇阅读奖

在弗瑞丝小姐的带领下，神奇校车载着同学们，直接驶入海洋。过程惊险刺激，同学们可以下海去欣赏这些五彩缤纷、形形色色的海洋生物！神奇校车先是驶过沙滩的“沙岸潮间带”，再进入“岩岸潮间带”，接着登上“大陆架的浅海域”，又沿着大陆斜坡往下驶入黑暗无光的“深海生态系”，最后在上升返航途中造访最美丽的“珊瑚礁生态系”。他们认识了各类不同的海洋生态系，了解了许多课本上没有的海洋知识。

神奇校车：迷失在太阳系

★本书被美国《学校图书馆学刊》评选为年度童书首选
★“全美书商联盟”精选最佳童书
★“亚马逊国际网络书店”读者五颗星最佳评价

弗瑞丝小姐班上的学生个个兴高采烈，因为他们要去参观天文馆。谁知竟然休馆！幸好，神奇的老师有办法挽救这一切。校车变成了一艘太空船，直接穿越了大气层，载着弗瑞丝小姐和班上的同学冲向月球和更远的外太空！对弗瑞丝小姐来说，这虽然只是踩上油门踏板的一小步，对神奇校车迷来说，却是扩大想像力的一大步——跟随着神奇校车飞入太空，展开前所未有、最棒的太阳系探索之旅！

神奇校车：穿越飓风

★“亚马逊国络网路书店”读者五颗星最佳评价

有一股飓风正在热带海洋上空狂吹……一个怪异的黄色物体被卷入飓风漩涡当中。那是一个热气球……那是一架飞机……那是神奇校车！弗瑞丝小姐班上的同学没有到气象观测站参观，而是亲身从陆、海、空彻底体验了飓风。读者可在这部最畅销、最新版本的科学读物中，学到空气的变化如何影响天气的知识。当你置身飓风之中，风、雨、雷、闪电将呈现新的面貌！

神奇校车：奇妙的蜂巢

★纽泽西州年度童书首选
★“全美书商联盟”精选最佳童书

在这一次旅程中，神奇的校车变成了一辆蜂巢巴士，而弗瑞丝小姐和她的学生们则变成了小蜜蜂。他们一定要想办法混进蜂巢内，才能获得关于蜜蜂群体生活的第一手资料。书中将现实、幻想、冒险和幽默融合在一起，带领读者探索蜜蜂的生活，去发现它们是如何寻找食物、建筑巢室、制造蜂蜜和蜂蜡，了解它们照顾后代的方法。昆虫的生活原来是如此复杂多变、神奇美丽。

神奇校车：追寻恐龙

★“全美书商联盟”精选最佳童书
★“亚马逊国际网络书店”读者五颗星最佳评价

弗瑞丝小姐要带她的学生去挖掘恐龙，看一看慈母龙的巢穴。但当同学们一到了化石的国度，校车竟化身为时光机器，送他们回到遥远的史前时代——恐龙仍在地球上悠游逍遥的时代。他们认识了各式各样超强的恐龙，还有它们的各种特性、本领，并探讨恐龙灭绝的原因；跟着最神奇的老师走一趟三叠纪、侏罗纪与白垩纪之旅，下载最新的恐龙资讯。快穿上你的迷彩装，这将是你不想错过的户外教学……

神奇校车：探访感觉器官

★本书荣获美国《教育杂志》非小说类神奇阅读奖

对弗瑞丝小姐班上的学生来说，幽默感当然最重要！但在他们最近一次的探险中，他们又学到了视、听、嗅、味、触和其他更多的感觉！当弗瑞丝小姐离开学校时，忘了一件重要的事，新来的校长助理先生冲上神奇校车要去追她，整班的学生也一窝蜂跟上。就在一天将尽之前，他们一路跟踪弗瑞丝小姐，畅游了人的眼睛、耳朵、舌头，甚至跑到一只狗的鼻子里玩儿过。

电可以做事
——凯 莎
它可以：
点 灯
加 热
做机械运动
有一天，快要下雨了，弗瑞丝小姐决定教我们学习电的知识。
她给我们图书，又让我们看录像，还帮我们做实验。
和往常一样，弗瑞丝小姐对科学总是很狂热。
同学们，电是生活中最厉害的力之一。
在我的生活中，弗瑞丝小姐才是最厉害的。

上课时，弗瑞丝小姐不停地往窗外看，并且喃喃自语："她随时都会来。"

"谁会来？"我们正在教室里排列电的使用图表，听了这话，感到很奇怪。

就在这时，一个红头发的女孩儿连蹦带跳地进来了。

“嗨，瓦洛妮阿姨。”女孩儿喊着，亲了亲弗瑞丝小姐的脸。

“我的侄女，多蒂·弗瑞丝，她今天来我们班做客。”弗瑞丝小姐说，“多蒂，我们正在学习电的知识！”

多蒂似乎对科学非常狂热——跟弗瑞丝一样。

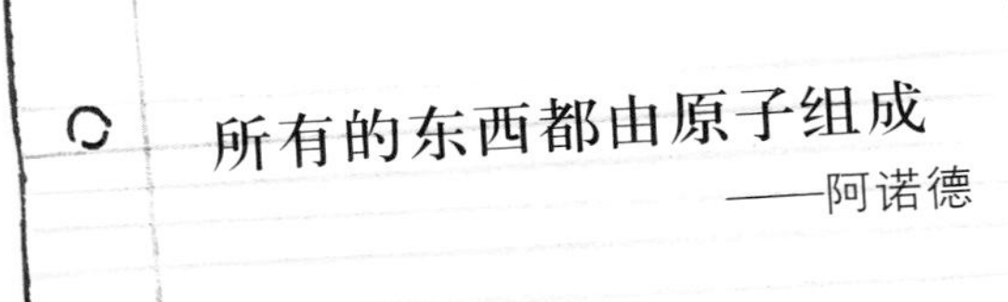

所有的东西都由原子组成

——阿诺德

你呼吸的空气，你读的书，你踩的地板，甚至你的身体，所有这些都是由原子组成的。

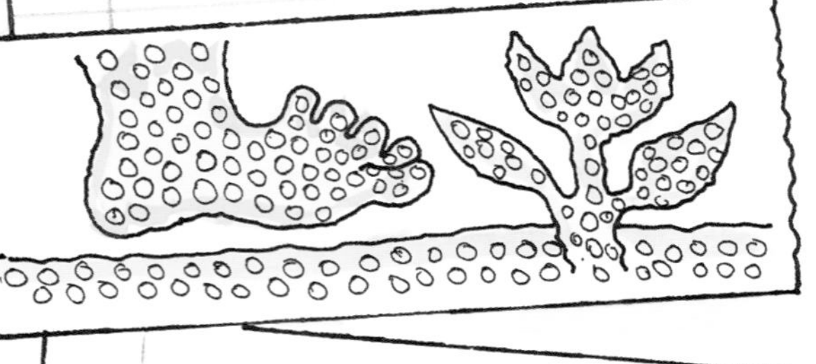

原子非常、非常、非常小

——汪达

一根头发那么细的地方可以穿过百万个以上的原子。

弗瑞丝小姐拿出教鞭说：“同学们，要理解电，我们必须理解原子。这里是一个巨大的原子模型。”

她指着原子模型：“这些小圆点就是电子。”

电 流
——雷切尔
我们运动……
你就能获得能量！
“大多数时间，电子都和它们自己的原子呆在一起。”弗瑞丝继续说，“但有时候，电子会溜走，它们会离开一个原子跳到另一个原子那边。从一个原子移动到另一个原子那里时就会产生电流。”
电流通过墙上的插座送出来。
通过电线进入风扇的电动机……
这样风扇就能转了。
多罗西的解释：
电流的意思是电子在电线里流动。

教室外面，天色越来越暗，不一会儿，大雨倾盆而下。

弗瑞丝小姐拿起一根电线：“我剥下外面的绝缘塑料，让你们看看里面的铜丝。”

有些物体导电性能好

——卡洛斯

电流很容易穿过某些物体。

为什么？因为它们的电子与原子连结很松散，电子很容易从一个原子跑到另一个原子。

一些好的导体：

金属　酸　水

另一些物质电阻大。

在一些材料中，电子与原子连得很紧，电子很难流动。

电阻大的材料绝缘性能好。

一些电阻大的绝缘体：

塑料　橡胶

木头　玻璃　空气

弗瑞斯说有一种方法可以产生电，那就是在金属线旁移动磁铁。
我们在教室做了一个袖珍发电机。
我们正在发电！
我们的袖珍发电机发出的电只能移动一根针，但城里发电厂的发电机发出的电却够全城用。
做一个袖珍发电机我们需要的东西：
—— 一截细铜丝
—— 一块磁铁
—— 一只电流表
—— 把铜丝绕成线圈(400圈)
—— 把磁铁放在线圈里面移动
会发生什么：
——电流表指针会动！
为什么会这样？
——移动磁铁使铜线产生电流。
——电流使指针运动。
电和磁铁有特殊的关系。
磁可以产生电。
你的意思是说，把一块磁铁靠近金属线就可以使电子运动？
是的，拉尔夫。但我们必须有一个循环的……没有断开的……金属线圈。
如果这金属圈断开了，指针就不会动。

就在这时，外面突然电闪雷鸣。
教室里的电灯闪了一下就灭了。所有的电器都停止工作了。
“停电了！”有人在叫。
“我们要体验一下断电，”弗瑞丝说，“看看到底会发生什么。”
灯灭了
——格雷戈里
当电流停止从电厂向城区流动时，城区就断电了。
我们不会老是呆在黑暗里吧？
大家都到汽车上去！
噢！我喜欢汽车！

问题：什么是闪电
答案：闪电是一种放电现象
——菲 比
当暴风雨产生时，多余的电子聚集在冰、水的微粒上。
当大量带电微粒聚集到一起时，便跳起来，那就是一道闪电！
不一会儿，我们上了校车，想发现到底是什么引起了断电。
不久，我们发现了问题：闪电击倒了一棵树，倒下的树干弄断了电线。
火花四处飞溅。
电不会跑进我们学校，因为线路是断开的。
那你要用电时怎么办？
避雷安全规则
雷电发生时：
——不要呆在屋外，要躲进屋子、小车或公共汽车。
——不要使用电话。
——不要使用电子设备。
——不要靠近水。

“救命！快带我们离开！”我们叫起来。
弗瑞丝小姐一点儿也不敢耽搁，她立刻掉转车头，飞驰而去。
孩子们，如果发现电线杆倒了，要立即跑开。
我肯定跑得最快！
跑得越快越安全
尽快离开落下的电线，不然它会要你的命！

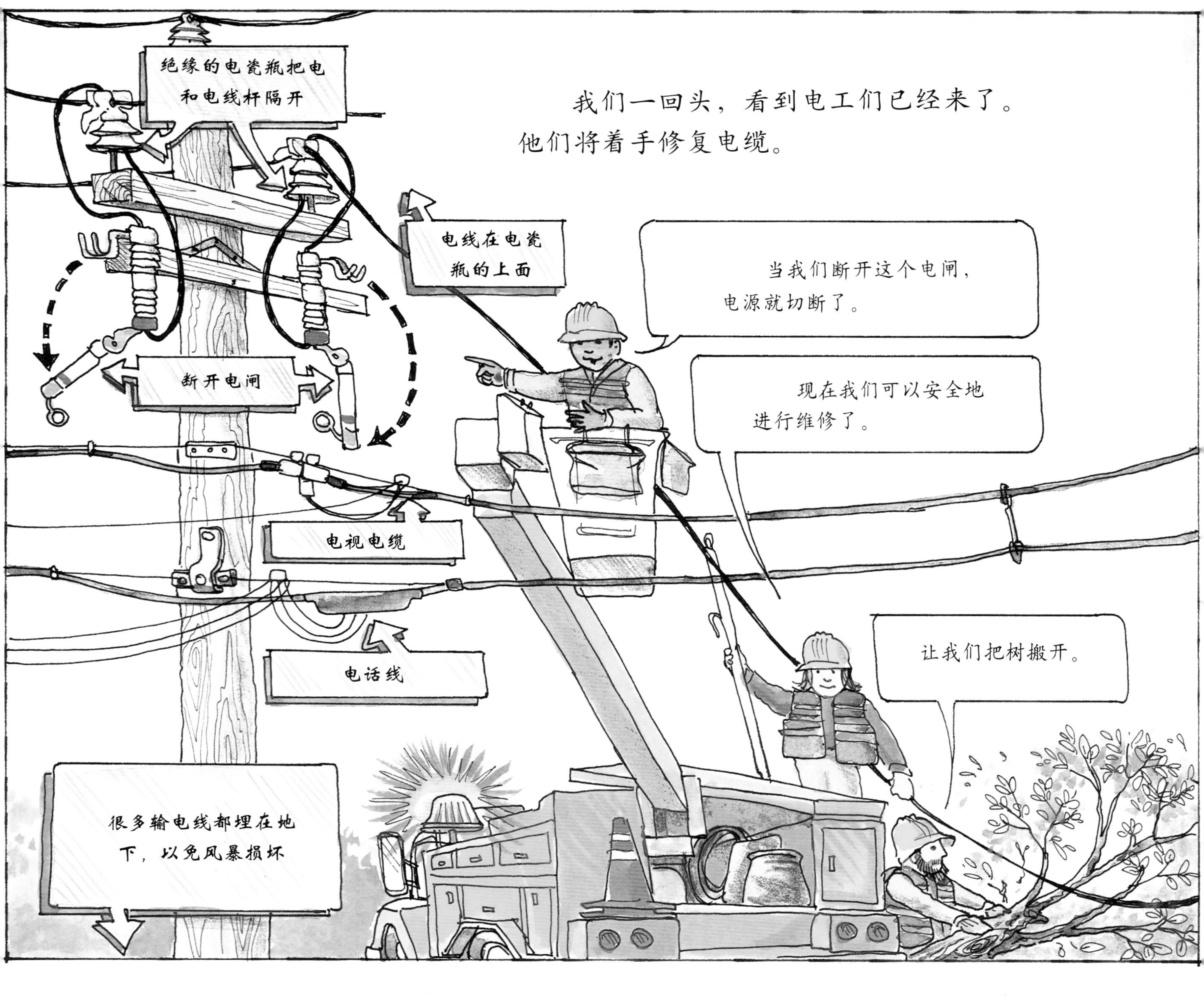
我们一回头，看到电工们已经来了。
他们将着手修复电缆。
绝缘的电瓷瓶把电和电线杆隔开
电线在电瓷瓶的上面
当我们断开这个电闸，电源就切断了。
断开电闸
现在我们可以安全地进行维修了。
电视电缆
电话线
让我们把树搬开。
很多输电线都埋在地下，以免风暴损坏

前面是城市的发电厂，它看上去像是一座小城镇。

“同学们，这些大楼里装着发电设备。”弗瑞丝小姐告诉我们。

“噢，应该让我们参观发电厂。”弗瑞丝的侄女建议。

“好主意，多蒂！”弗瑞丝附和着。

“大家坐好了！”

怎样修复电线

① 我们必须确定所有的开关都断开了才能开始工作。

② 然后把两个断头拉到一起。

（电线和拉线机）

③ 接下来把线连起来。

接线有点儿像玩插手指的游戏，你插得越深，就越紧。

④ 我们把线放回原处。

⑤ 我们重新合上电闸。

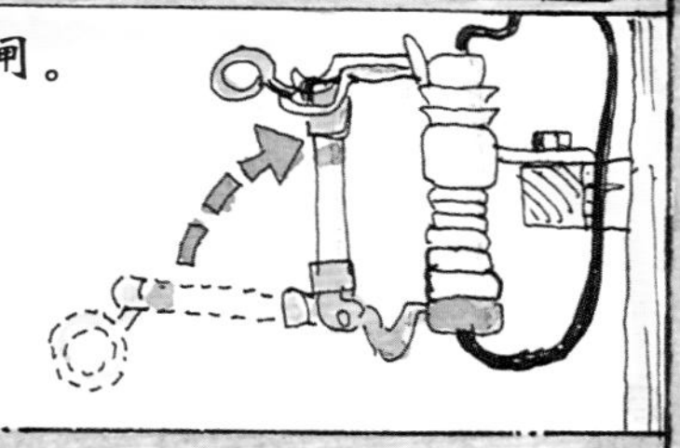

⑥ 活儿干完了，到下一个维修点去。

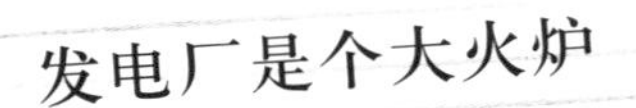

发电厂是个大火炉

——约 翰

大多数电厂都是用热能发电。他们燃烧像煤、油和天然气一类的燃料。

好消息：

热电厂能提供大量的能源。

坏消息：

会污染空气。

有些电厂用原子反应堆发电。

好处：

不会造成任何空气污染就可以得到巨大的电能。

坏处：

会产生核废料。

当我们到达电厂时，弗瑞丝小姐给我们每人一件隔热服。她说："我们要开始旅行，观察燃料供应。"她按了按仪表盘上的一个小按钮，校车变成了一辆翻斗车。

"准备传送！"弗瑞丝小姐喊道。

翻斗车倾斜了，我们和煤一起向下滚，落进煤槽，一下子滑进了炉火熊熊的炉子里。

“让我们看看热都有些什么用。”弗瑞丝小姐说。

符合环保的发电方法

——莫 莉

有些电厂不需要燃料也能发电。

地热发电厂

利用地球内部的热能

水能发电厂

利用水的落差

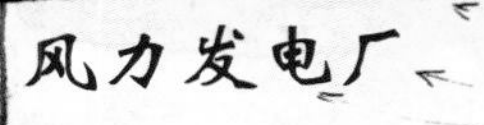

利用风能

潮汐发电厂

利用海洋潮汐能量

坏消息：

目前还不能从这些能源得到我们所需的足够能量。

好消息：

人类能够发明更好的、无污染的方法来获取能源。

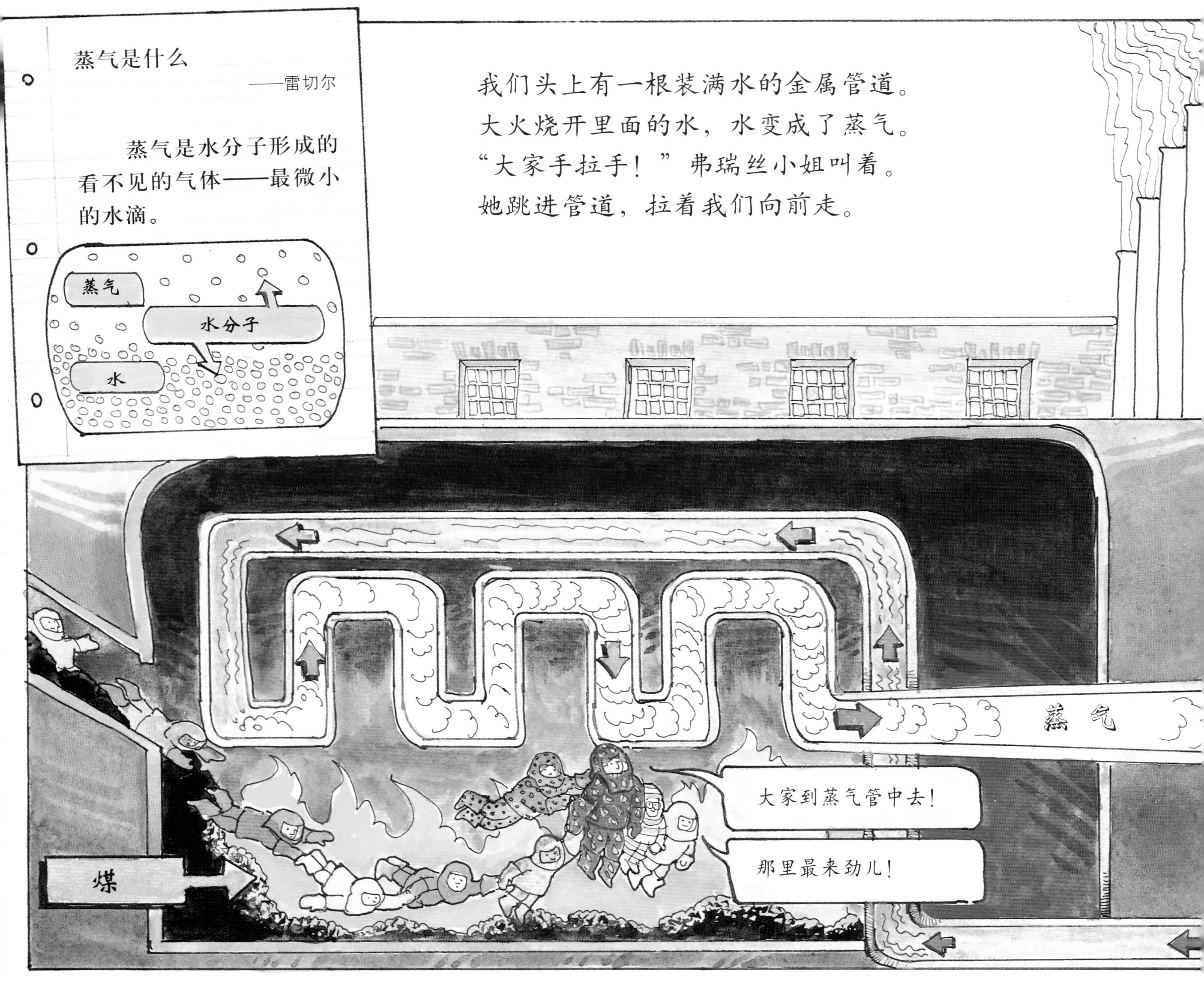
蒸气是什么
——雷切尔
蒸气是水分子形成的看不见的气体——最微小的水滴。
蒸气
水分子
水
我们头上有一根装满水的金属管道。大火烧开里面的水，水变成了蒸气。“大家手拉手！”弗瑞丝小姐叫着。她跳进管道，拉着我们向前走。
蒸气
大家到蒸气管中去！
那里最来劲儿！
煤

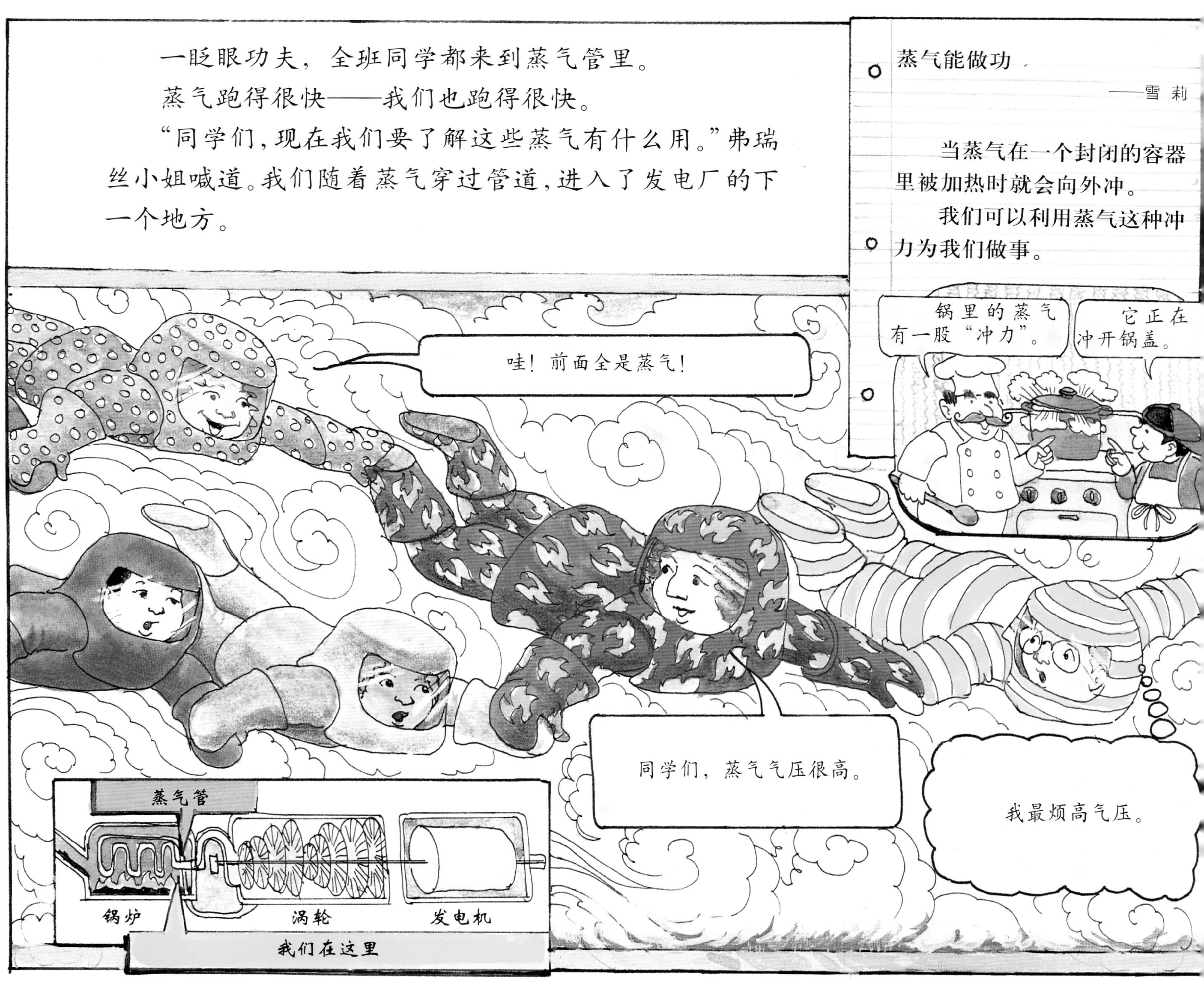
一眨眼功夫，全班同学都来到蒸气管里。
蒸气跑得很快——我们也跑得很快。
“同学们，现在我们要了解这些蒸气有什么用。”弗瑞丝小姐喊道。我们随着蒸气穿过管道，进入了发电厂的下一个地方。
蒸气能做功
——雪莉
当蒸气在一个封闭的容器里被加热时就会向外冲。
我们可以利用蒸气这种冲力为我们做事。
锅里的蒸气有一股“冲力”。
它正在冲开锅盖。
哇！前面全是蒸气！
同学们，蒸气气压很高。
我最烦高气压。
蒸气管
锅炉
涡轮
发电机
我们在这里

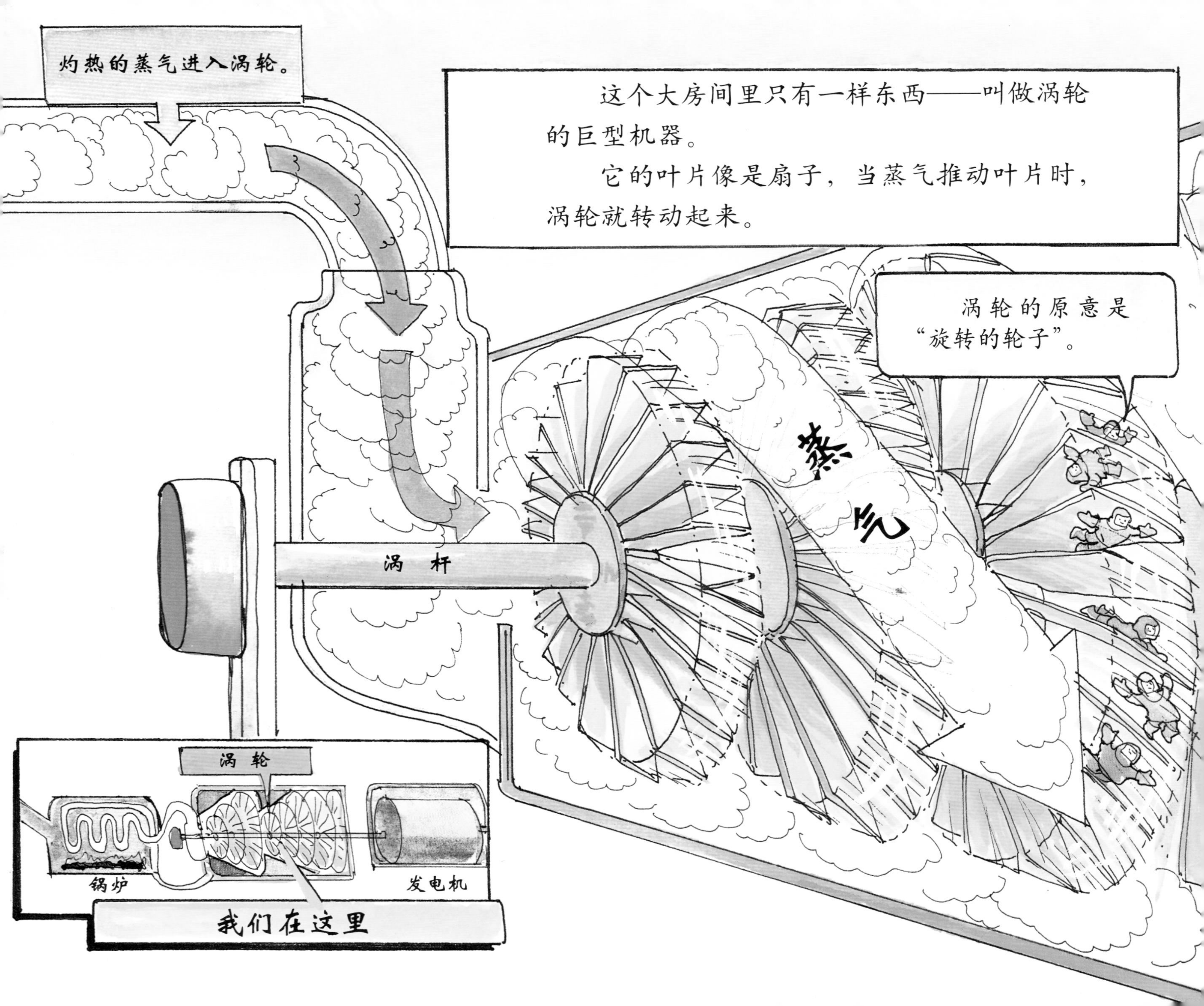
灼热的蒸气进入涡轮。
这个大房间里只有一样东西——叫做涡轮的巨型机器。
它的叶片像是扇子，当蒸气推动叶片时，涡轮就转动起来。
涡轮的原意是“旋转的轮子”。
蒸气
涡杆
涡轮
锅炉
发电机
我们在这里

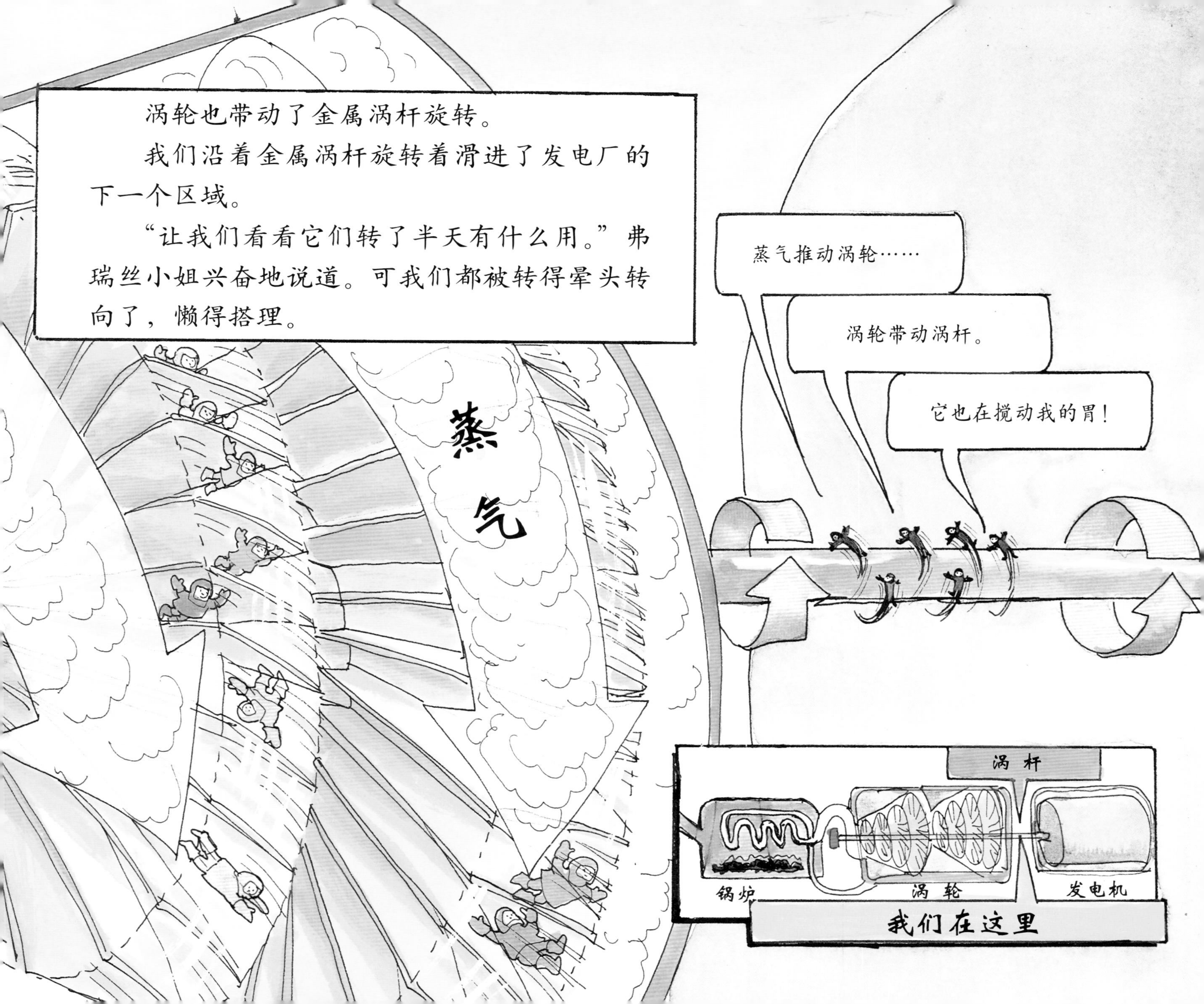
涡轮也带动了金属涡杆旋转。
我们沿着金属涡杆旋转着滑进了发电厂的下一个区域。
“让我们看看它们转了半天有什么用。”弗瑞丝小姐兴奋地说道。可我们都被转得晕头转向了，懒得搭理。
蒸气
蒸气推动涡轮……
涡轮带动涡杆。
它也在搅动我的胃！
涡杆
锅炉
涡轮
发电机
我们在这里

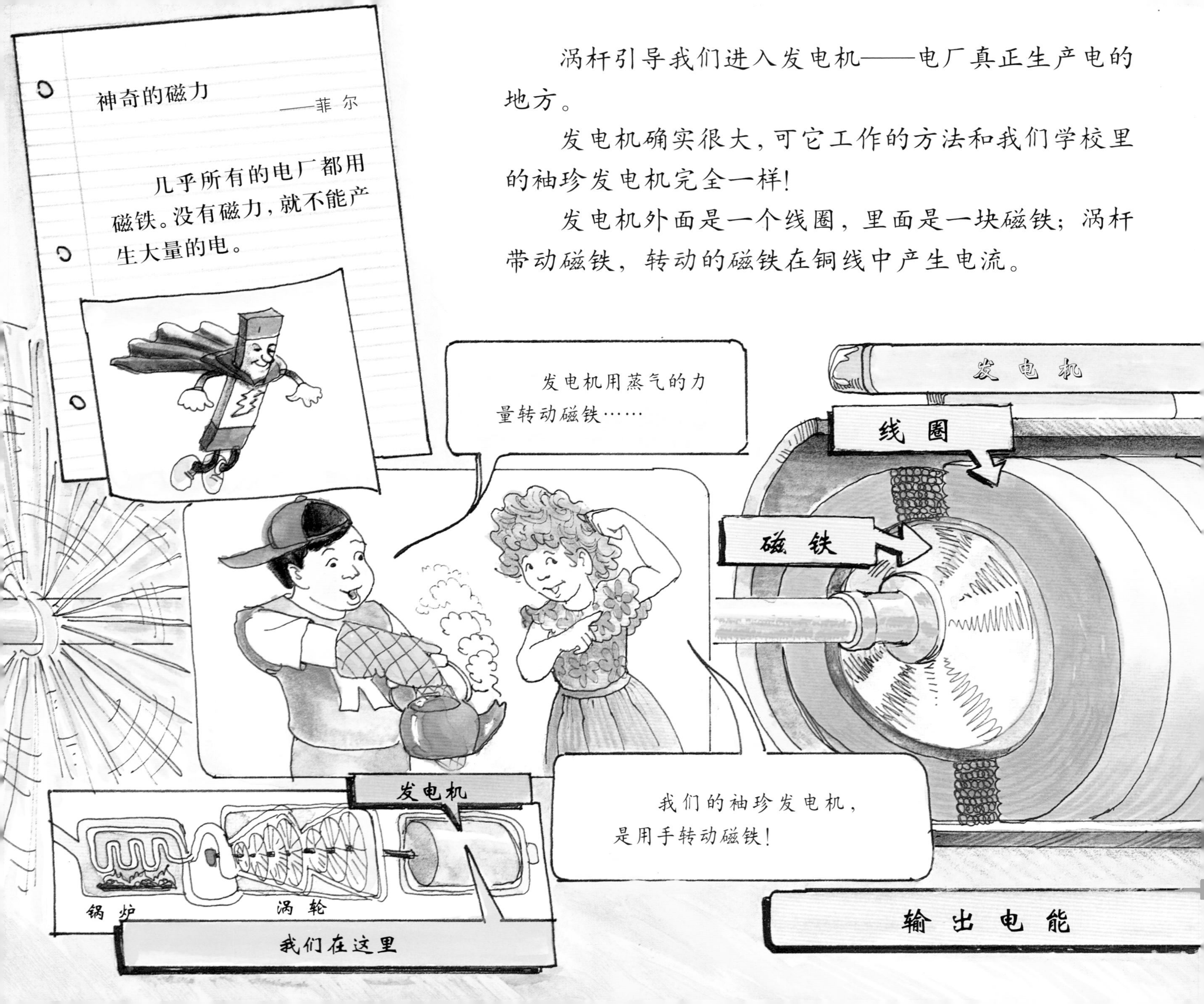
神奇的磁力
——菲尔
几乎所有的电厂都用磁铁。没有磁力，就不能产生大量的电。
涡杆引导我们进入发电机——电厂真正生产电的地方。
发电机确实很大，可它工作的方法和我们学校里的袖珍发电机完全一样！
发电机外面是一个线圈，里面是一块磁铁；涡杆带动磁铁，转动的磁铁在铜线中产生电流。
发电机用蒸气的力量转动磁铁……
发电机
线圈
磁铁
我们的袖珍发电机，是用手转动磁铁！
发电机
锅炉
涡轮
我们在这里
输出电能

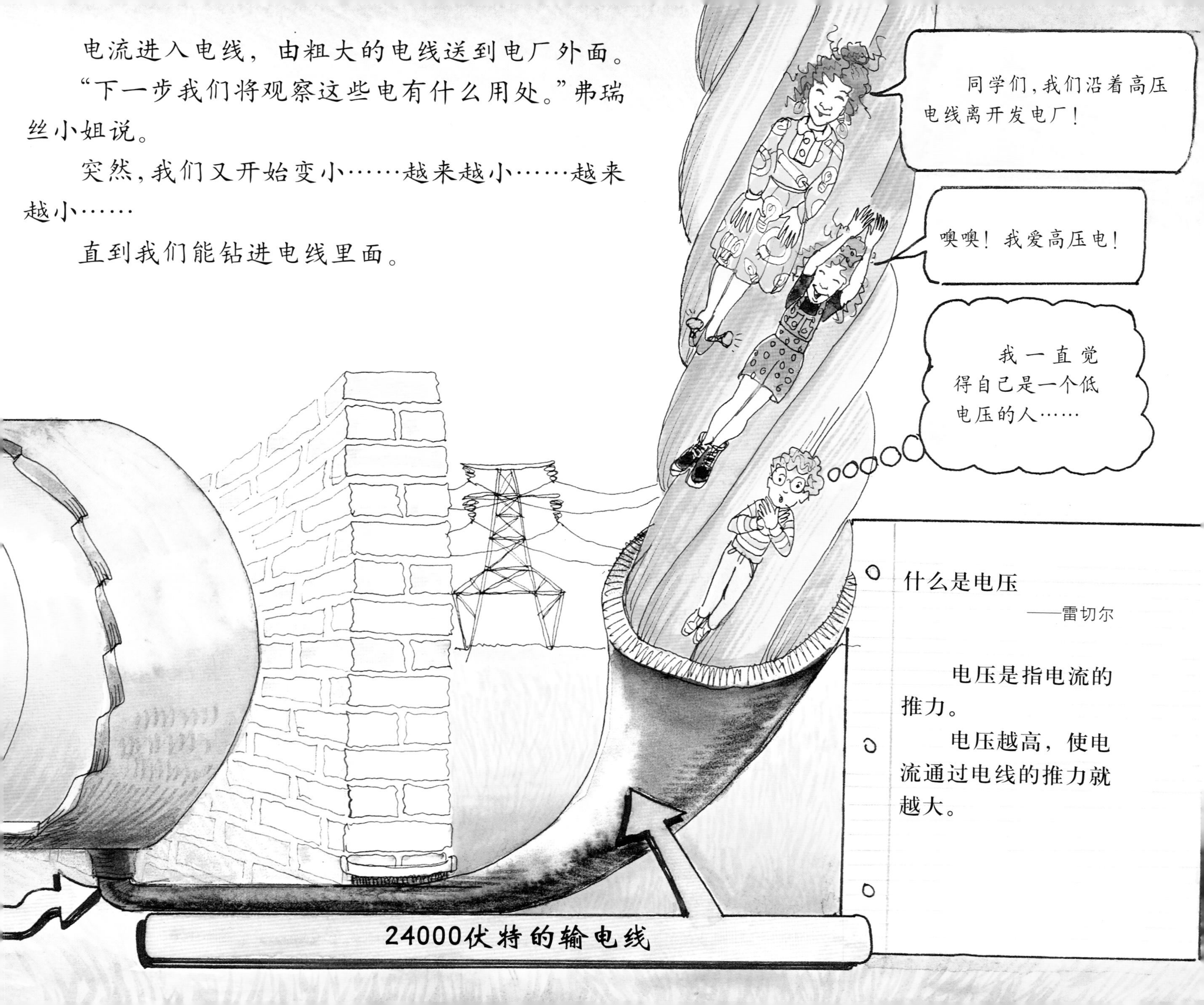
电流进入电线，由粗大的电线送到电厂外面。
“下一步我们将观察这些电有什么用处。”弗瑞丝小姐说。
突然，我们又开始变小……越来越小……越来越小……
直到我们能钻进电线里面。
同学们，我们沿着高压电线离开发电厂！
噢噢！我爱高压电！
我一直觉得自己是一个低电压的人……
什么是电压
——雷切尔
电压是指电流的推力。
电压越高，使电流通过电线的推力就越大。
24000伏特的输电线

每个电子要走完从电厂到你们家的全部路程吗
——阿曼达
不！它只是跳到下一个原子。这有一点儿像一个装满小球的管子，如果你在一边塞一个球进去，就会有一个球从另一边滚出来。并且小球“流动”总是沿着管子走。
我们变得更小了。
现在我们的大小正好可以呆在电线里。
电子在我们身边跳动，产生电流。
我们避开那些电子，跟着弗瑞丝小姐穿过电线向城里跑去。
看看这些电子！
瞧它们跑得多快！
噢！我喜欢快！
可不是这种快法！
24000伏
升高到345000伏
发电厂
变电站把电压升高，
以便电流可以送得更远。
输电铁塔

路上，我们经过一个个变电站，电线里的电被这里的设备升高或降低。

高压电把电送往远方，低压电用于工厂和大商场。更低电压的电供小型建筑和家庭使用。

"我们上哪儿去？"有人问。

"我们去电灯泡里。"弗瑞丝小姐漫不经心地回答道。

在输电线里，电子朝一个方向移动

——阿诺德

不！电流在输电线里每秒钟都会多次改变方向，这叫交流电。

多罗西的解释：

"变压"意思就是"改变电压"。

变压器将高压电变成低压电，或者将低压电变成高压电。

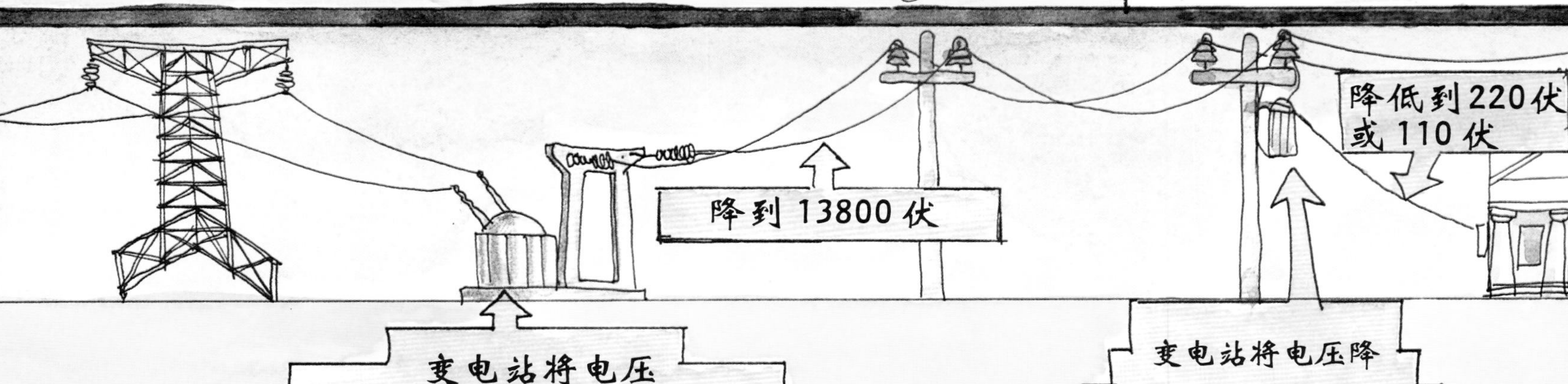

我们正在输电线中移动时，弗瑞丝小姐说：“我们现在到了城里的图书馆。”

我们跟着她进入一盏灯。

“我们进了一个灯泡！”汪达喊道。

在灯泡里面，我们挤进非常非常细的线——灯丝里。

“灯丝使灯泡发光。”弗瑞丝小姐说。

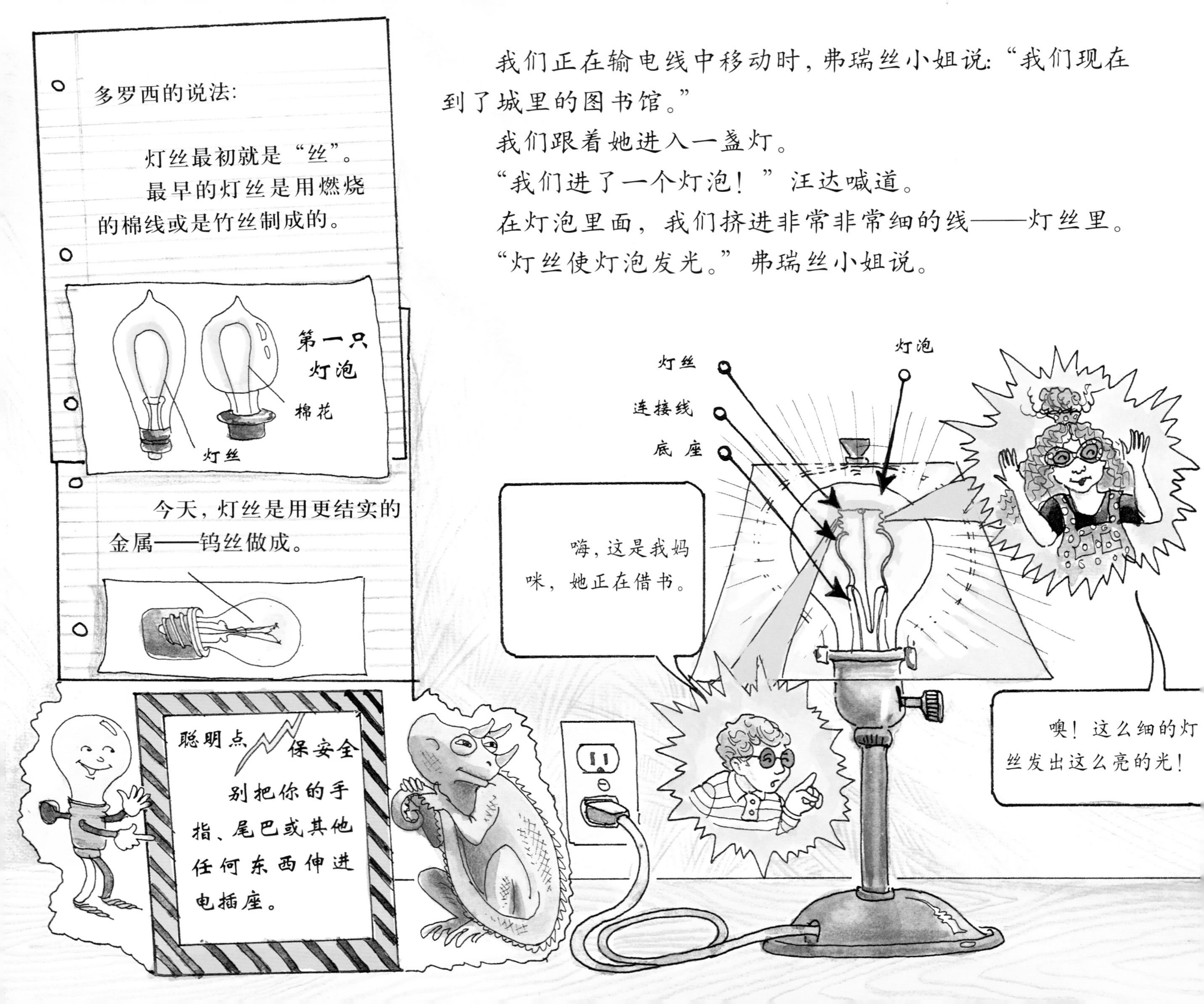

无数的电子正快速挤过细细的灯丝，使得灯丝白热化。当材料白热化时，就会发出光亮。

我们来不及戴上太阳镜，又进了另一个灯泡。

我们从图书馆钻出来时，根本没时间借上一本书！

我们通过输电线来到街上琼斯的快餐店。

一走进这间餐馆，我们便进了一个烤箱。

“现在，我们观察电怎样加热，”弗瑞丝说，“跟着我进发热元件里去！”

发热元件是用一些特殊的金属丝绕成的圈。当电经过这些金属丝时，它们能发红发热。

这些发热元件正在烘烤食物。这提醒了我们——午餐时间到了呀。弗瑞丝小姐却没有停下来，也许她不饿。

她离开这些金属丝，又回到输电线上。

“现在我们去访问一个人的家。”她说着，来了个急转弯。

“我想知道去谁家。”菲比嘀咕着。

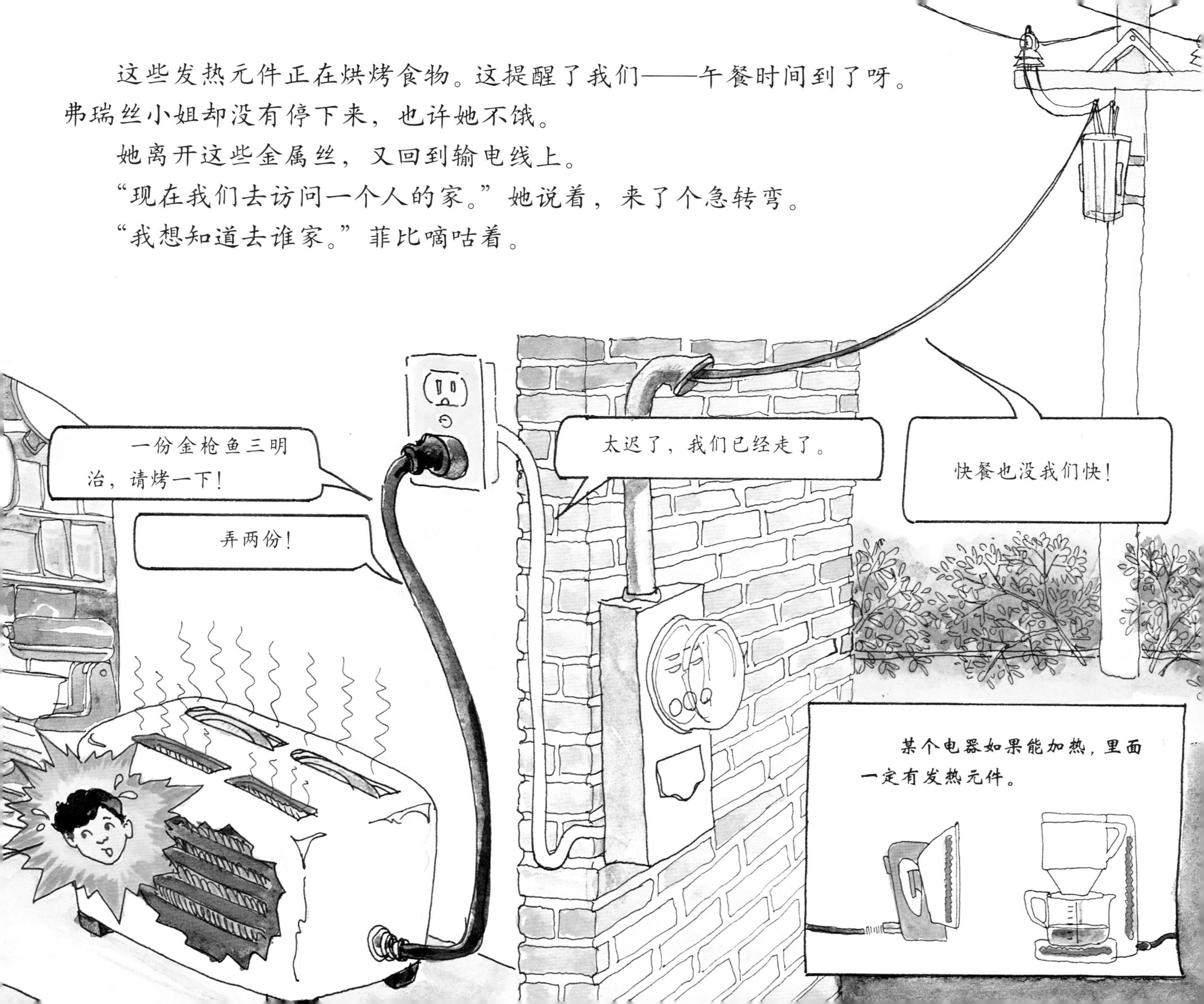

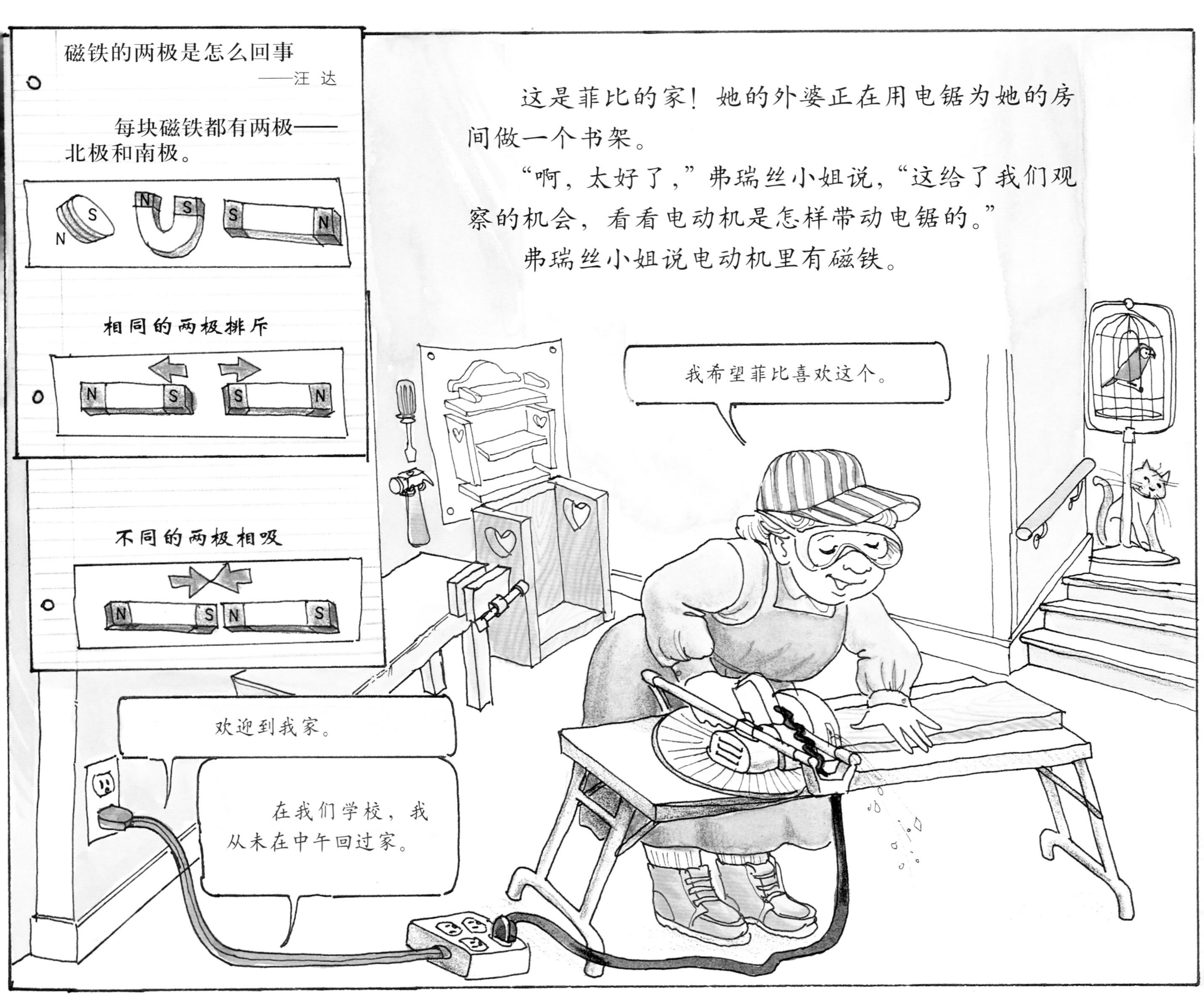
磁铁的两极是怎么回事
——汪 达
每块磁铁都有两极——北极和南极。
S
N
N
S
S
N
相同的两极排斥
N
S
S
N
不同的两极相吸
N
S
N
S
这是菲比的家！她的外婆正在用电锯为她的房间做一个书架。
“啊，太好了，”弗瑞丝小姐说，“这给了我们观察的机会，看看电动机是怎样带动电锯的。”
弗瑞丝小姐说电动机里有磁铁。
我希望菲比喜欢这个。
欢迎到我家。
在我们学校，我从未在中午回过家。

“记得我们是怎样用磁铁制造电流的吗？”弗瑞丝小姐问，“注意，它也会以另一种方式工作，电流能使一块金属变成磁铁，这种磁铁叫做电磁铁。电磁铁使电动机转动。”

“现在开始电动机的旅行。”弗瑞丝说。
我们从电线跑到电动机里面。
电动机到处都在转啊，抖啊。

电动机就是“电驱动的机器”。

这一定是一次非常“触电”的经历。

电动机怎样工作？在一个电动机里，电磁铁使转动部分的转子转动。

1。一块电磁铁被固定在不动的座子上，这是“定子”。

2。另一块电磁铁被固定在转动部分的“转子”上。

3。座子上电磁铁的北极吸引转子上电磁铁的南极，使得转子转动。

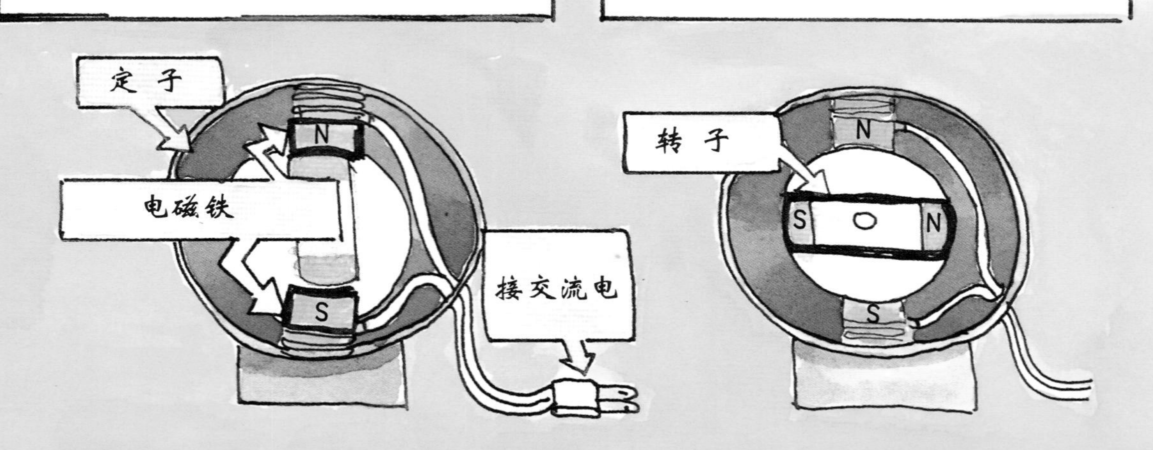

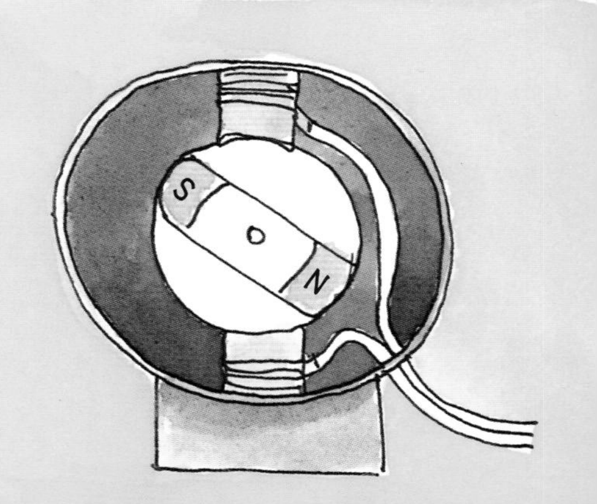

一个叫做转子的圆柱体转得非常快。转子带动转轴，转轴带动锯片。

转动的转子使锯片旋转起来锯掉木头。

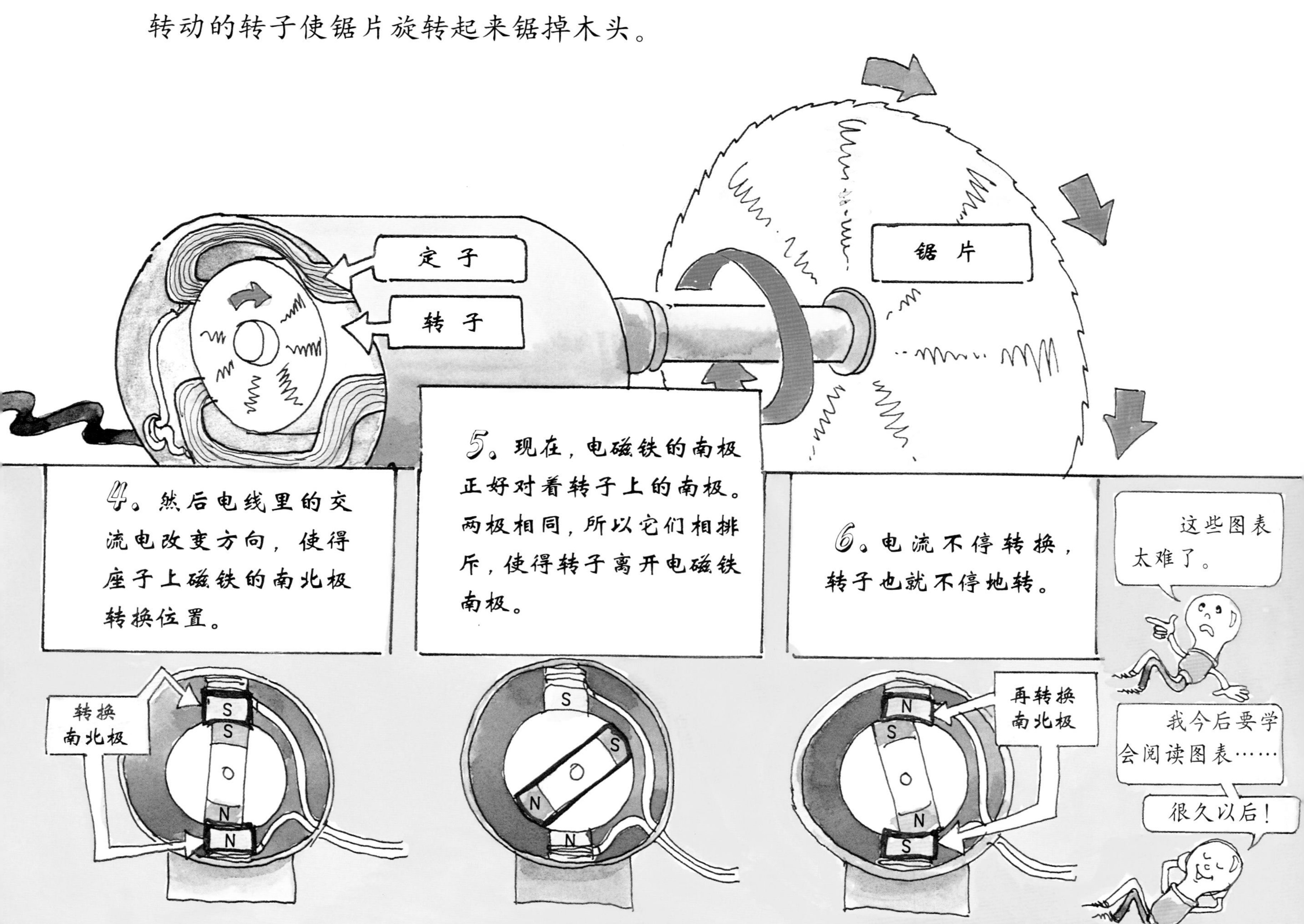

当我们在电动机里时，菲比的外婆不停地在锯。她没注意到猫爬到了鸟笼上。

“当心！”鹦鹉叫道。

但太迟了。鸟笼掉到了地上，鸟食和碎片全散落到了地毯上。

菲比的外公赶来用吸尘器收拾。

“来吧，孩子们！”弗瑞丝小姐叫我们，“我们必须看看这个！”

她带我们出了电锯，钻进了墙上的插座，通过墙上的电线和又一个插口，来到吸尘器的电线里。

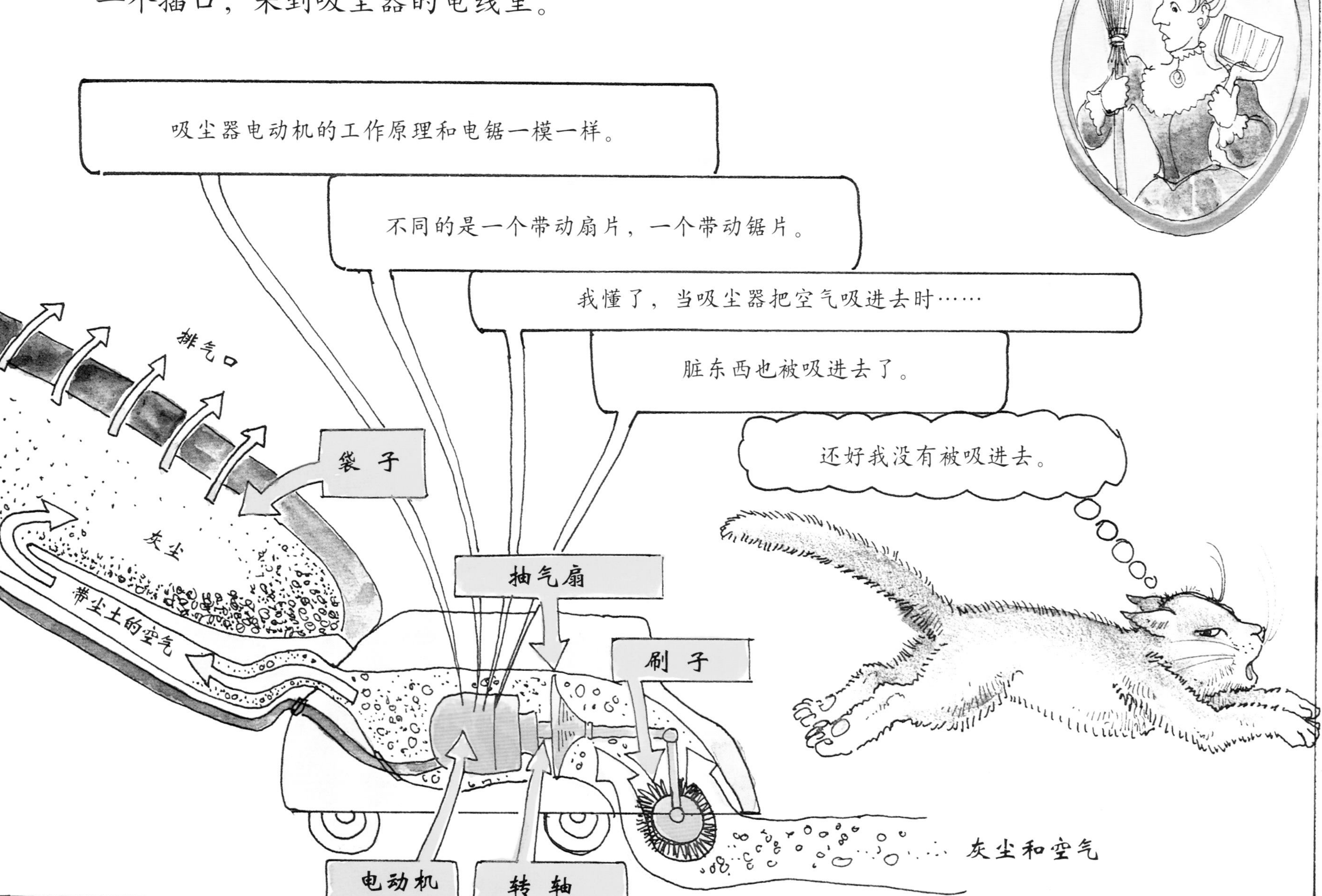

开关怎样开关电源
——阿历克斯
在电器里，电线靠两片叫触片的金属片连接。
开
关
接触
断开
开
当你打开开关时，两片金属片被拉到一起，在两根铜线中搭起“桥”，让电流通过，电器就开始运转。
关
当你关掉开关时，开关里的金属片就被分开了。电子不能流动，电器就不动了。
我们正准备离开时，外公用完了吸尘器，关了开关。
关闭开关就是在电路上弄出间隙，电不能通过间隙，电动机就停止了转动。
该回去了。
别提我们到哪里去过。
也别提弗瑞丝小姐。
现在去看开关！
电灯开关也是这样的吗？
是的。所有的开关都一样。
触片
间隙
触片

我们使劲叫外公，他也听不见。

菲比很着急，因为她得准时赶去参加课外空手道训练，其他同学要去踢足球。

现在我们只能干瞪着眼，束手无策。

我们被困在吸尘器的开关里。

电视怎样工作 ——凯莎

1、电视台传送电视信号。

2、信号在电视天线或电缆里形成微小电流。

3、这微小电流控制着电视显像管里的电子枪。

4、电子枪将电子送到你的电视机显示屏后面。

5、显示屏喷有成千上万的化学物质——荧光粉。

6、当电子枪冲击荧光粉时，这些荧光粉就发光。

7、发光的荧光粉在屏幕上形成图像。

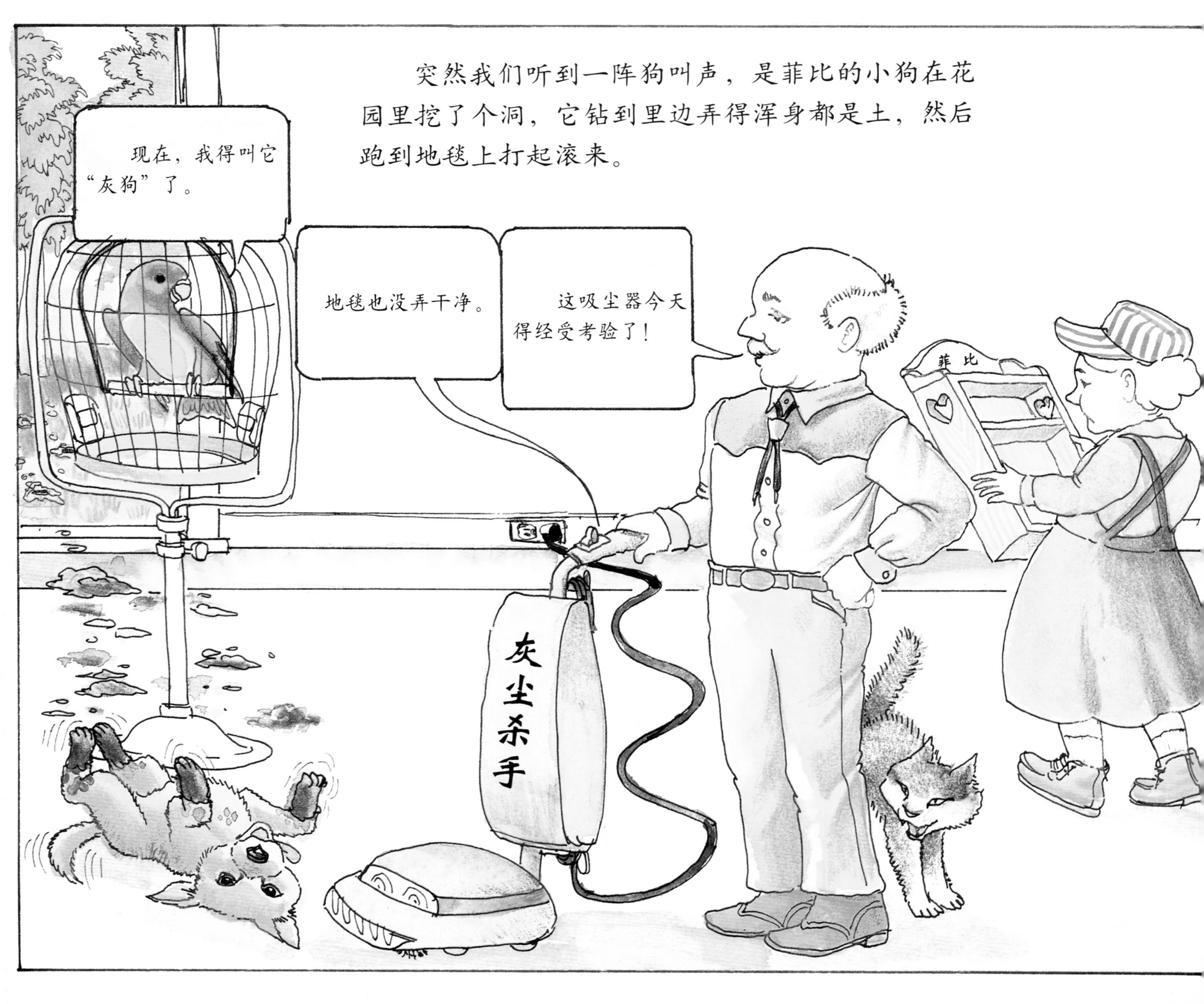
突然我们听到一阵狗叫声，是菲比的小狗在花园里挖了个洞，它钻到里边弄得浑身都是土，然后跑到地毯上打起滚来。
现在，我得叫它“灰狗”了。
地毯也没弄干净。
这吸尘器今天得经受考验了！
菲比
灰尘杀手

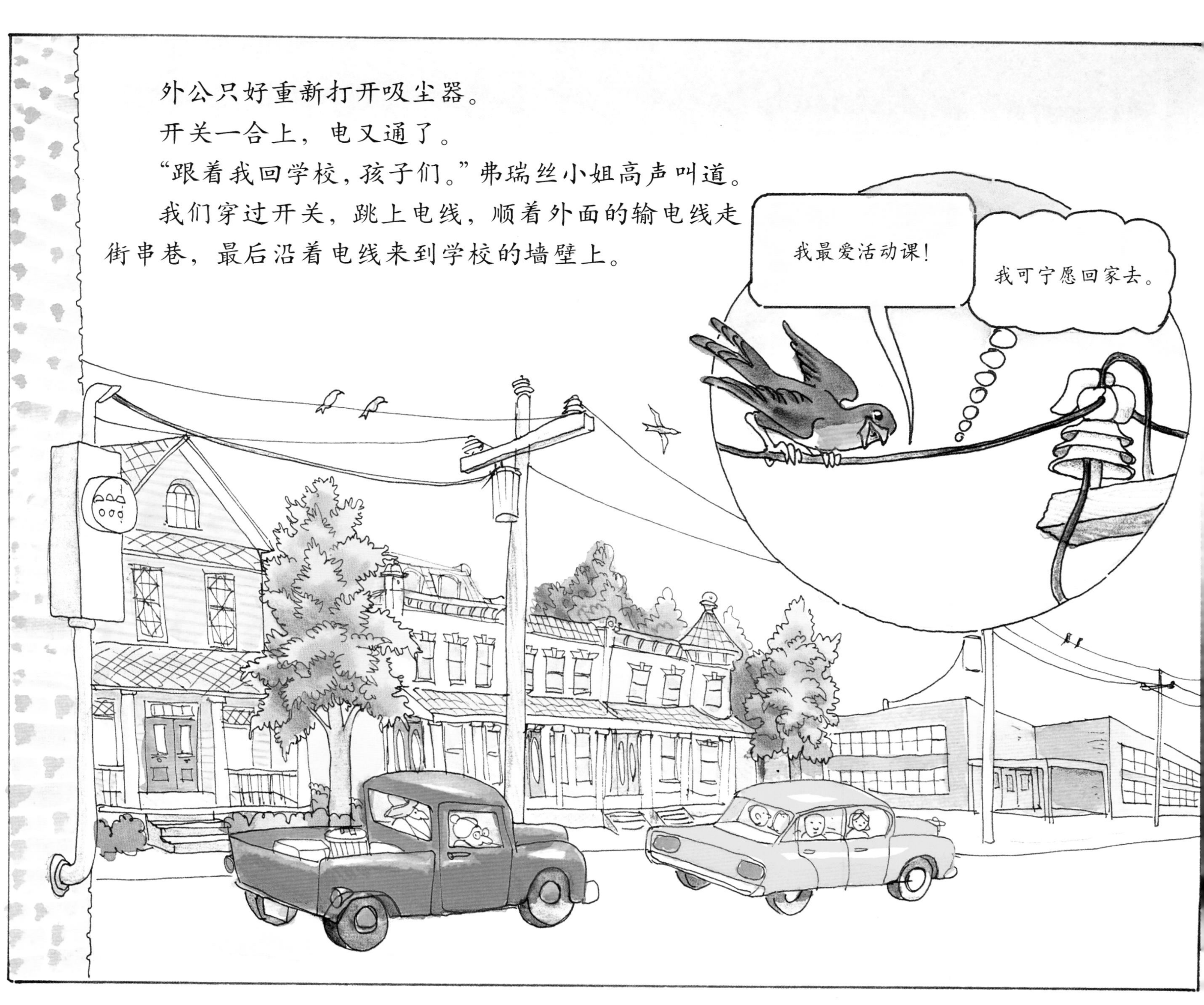
外公只好重新打开吸尘器。
开关一合上，电又通了。
“跟着我回学校，孩子们。”弗瑞丝小姐高声叫道。
我们穿过开关，跳上电线，顺着外面的输电线走街串巷，最后沿着电线来到学校的墙壁上。
我最爱活动课！
我可宁愿回家去。

我们通过插座转进了地板打蜡机的电线，然后“砰”的一声从电线绝缘层的破洞中掉了出来。

我们一变回原来的样子，弗瑞丝小姐就领着我们回到了教室。

这一天真棒！
我们经过了火炉和电线。
我们还和原子相遇。
我们看到了家用电器的另一面——里面。

现在，我们班一切又恢复了正常。
当然，除了弗瑞丝小姐！

作业，明天交

电器怎样工作？
选择正确答案

熨斗

要加热，需要：
A. 一只小猫
B. 一个发热元件
C. 一双羊毛球

电钻

要让电钻转动，需要：
A. 一个电动机
B. 一截橡胶带
C. 一个橡胶鸭嘴

吹风机

加热并转动风扇吹头发，需要：
A. 装上一个发热元件
B. 装上一个电动机
C. 发热元件和电动机

找真假
这个刺激的新游戏会告诉你什么是真，什么是假。
有些事仅仅发生在我们的想像之中
但它真的发生了。
在你们的梦里。
后退！
学校的学生不能进入发电厂的火炉、涡轮，或发电机。
后退2格
后退！
孩子们确实不能进入输电线或电器
后退四格
这是真的！
原子确实带有电子。
前进三格

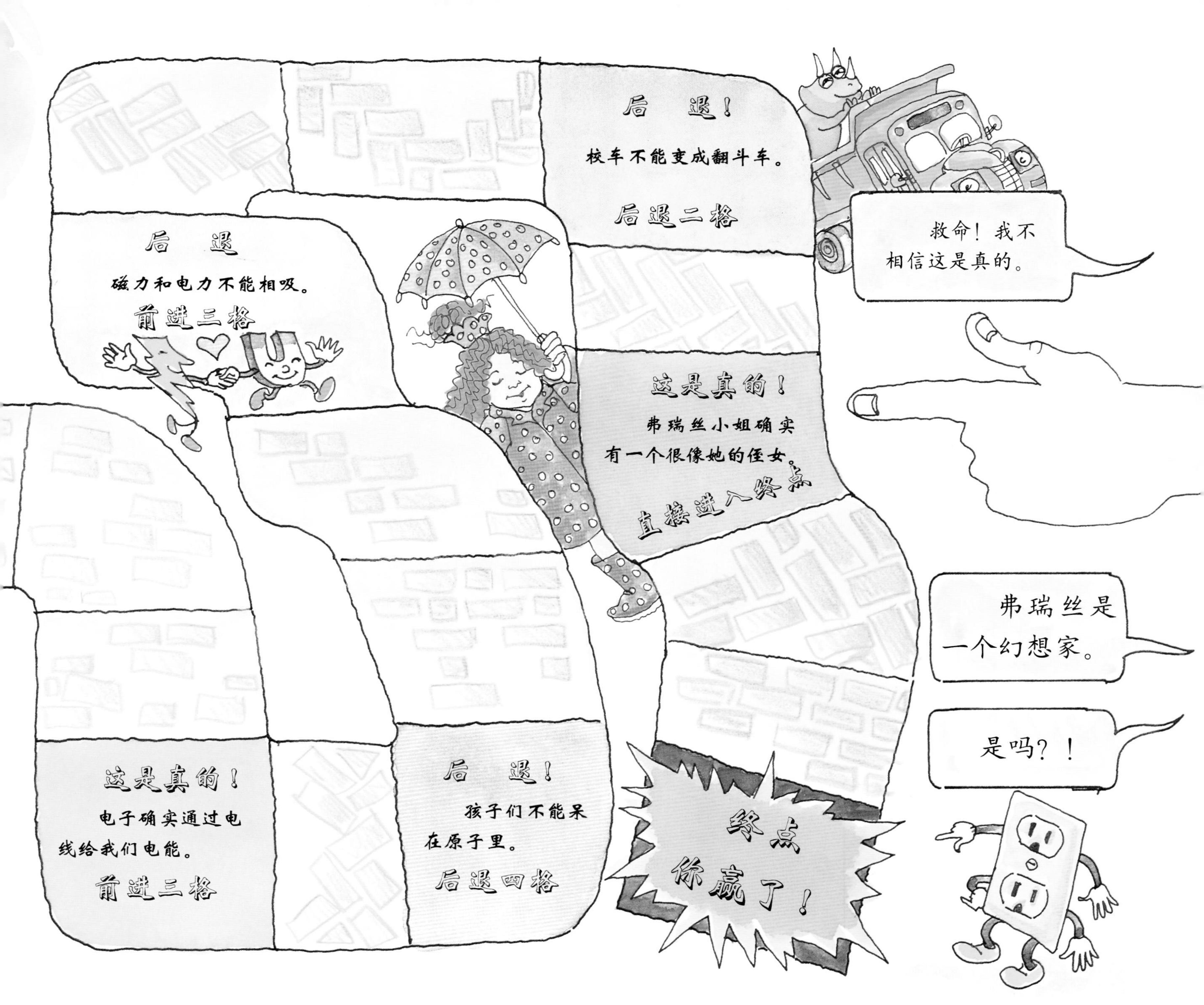
后退！
校车不能变成翻斗车。
后退二格
后退
磁力和电力不能相吸。
前进三格
这是真的！
弗瑞丝小姐确实有一个很像她的侄女。
直接进入终点
救命！我不相信这是真的。
弗瑞丝是一个幻想家。
是吗？！
这是真的！
电子确实通过电线给我们电能。
前进三格
后退！
孩子们不能呆在原子里。
后退四格
终点
你赢了！

我们要学的其他电学知识
——弗瑞丝小姐
电池怎样储存电？
——阿诺德
我们可以安全地用电池做哪些实验？
——阿诺德
太阳能发电机是怎样工作的？
——蒂姆
什么是静电？
——卡洛斯
萤光粉是怎样工作的？
——多罗西
我的大脑里也有电流吗？
——菲比
计算机是怎样工作的？
——拉尔夫
这些电学术语是什么意思：
WATT AC
AMP DC
OHM
——拉尔夫
为什么水会使电变得非常危险？
——凯莎
为什么你从不在高压线附近放风筝？
——雷切尔
昆廷先生
图书管理员
埃及

感谢康涅狄格纽黑文耶鲁大学电子工程系主任、电子工程和应用物理学教授马克·里德先生，麻省信息和科学中心项目主任罗伯特·冯安齐先生，和电视系列“神奇校车”的科学顾问迈克尔·泰姆布莱特先生，他们仔细地阅读了本书文稿和图画。作者感谢布鲁斯·雷迪奥特，他就交流电的内容与我们进行了长时间的讨论；感谢文·里卡斯，他给我们提供了他在电动机方面丰富的经验。我们特别感谢斯蒂芬妮·卡尔曼森的热情帮助，她敏锐的洞察力对于本书的写作是不可或缺的。学子出版公司的编辑罗文·汤普逊不厌其烦地对书中的微型电机进行了实验，发现它无法发光，她还发现原设计的指南针无法证明电流的流动。迈克尔·泰姆布莱特帮助我们进行了改进，对此我们非常感激。美术作者感谢比尔·思塔克斯 、谢利尔·迪尔依 、卡里·卡宾、 雷·布鲁和卡西·比里特，他们给作者讲解了康涅狄格州电网运行的情况。

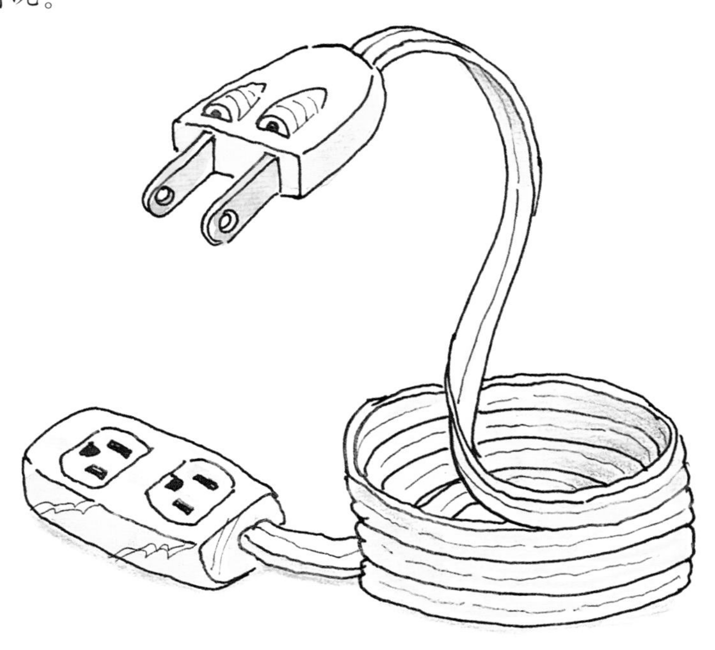

献给雷切尔——你真是个好姑娘！

——乔安娜·柯尔

献给特雷弗·加勒特和罗斯门，特别是马特，他引导我走向神秘有趣的电世界。

——布鲁斯·迪根

神奇校车

爱校车，爱科学，我们又出发啦！

第二辑简介

神奇校车：把热留住

啊呃！阿诺德的热可可已经凉了。热跑到哪里去了？我们的弗瑞丝小姐肯定有办法！这回，我们和弗瑞丝小姐一起去北极圈，大家不仅知道了怎样让自己暖和起来，还学会了如何把身上的热留住。我们可爱的蜥蜴——里兹，又将如何在北极生存呢？

神奇校车：愉快飞行

怎么样才能飞起来呢？弗瑞丝小姐和班上的同学一起缩小到模型飞机里，他们找到了问题的答案。大家在一只老鹰的启发下，学习了怎样把飞机升上天，怎样在天上一直飞行，怎样驾驶飞机向左、向右转弯。胆小的阿诺德这次竟成了英雄！快来吧，飞翔的感觉真的很棒！

神奇校车：有趣的食物链

今天是海滩日，全班同学都兴高采烈——除了阿诺德和凯莎。他俩忘了做关于海边生物的报告。他们只带了金枪鱼三明治和一些臭的池塘绿藻。这两样东西与海滩日有关联吗？“学习的最好方法就是身临其境。”弗瑞丝小姐对大家宣布。一秒钟后，神奇校车冲入海中！

神奇校车：光与植物

什么地方搞错了？为了寻找答案，弗瑞丝小姐把菲比变成一株豆类植物。班上其他同学被缩小，钻进旁边的一棵植物里，去瞧瞧植物究竟吃些什么才能长大。来！让我们坐着神奇校车去进行一次奇妙的旅行，看看植物体内那间奇妙的食物加工厂，去解开“光合作用”的秘密！

神奇校车：腐烂小分队

今天是“奇特科学项目”日。同学们要从自家的冰箱里找出一种霉变得很厉害的东西，带到学校。大家在做这件事情的时候，觉得很恶心。可当神奇校车开进腐朽的木头里时，大家发现，看似死的东西其实都是活的，而且还很奇妙呢！快来加入我们的“腐烂”冒险吧！

神奇校车：光的魔法

全班同学去看“发光表演”，可表演刚结束，阿诺德和他的表妹珍妮就失踪了！这时，整个戏院也都停电了。难道这家戏院闹鬼吗？紧接着，大家看见舞台上的鬼影子，竟然像极了阿诺德！凯莎知道那肯定是场恶作剧，但究竟是怎么变出来的呢？幸好，弗瑞丝小姐开着神奇校车过来了……

第三辑简介

神奇校车：拜访企鹅

这次，全班同学跟随弗瑞丝小姐去了南极洲——地球的最南端。南极洲的动物可有趣了，人见人爱的企鹅就生长在南极，那里还有冰山、冰棚。啊，对了！这回阿诺德还被一只企鹅妈妈指派了特别任务！快来瞧瞧！

神奇校车：穿越雷电

天气是我们日常生活中特别重要的一部分。可你知道雨是如何产生的吗？你知道雷电是怎么形成的吗？你认识各种各样的云朵吗？有关气象的知识真是丰富多彩！这次和大家一起历险的还有气象星先生，他可有趣了！快跟我们一起去穿越雷电吧！

神奇校车：跟踪昆虫

大家好，我是汪达。我有两只可爱的瓢虫宝宝。有一天，我的两个宝贝失踪了，这可把我急坏了。不过全班同学在寻找它们的过程中，也对昆虫大家庭有了更多的了解。快和我们一起坐着神奇校车去丛林中探险吧！

神奇校车：逃离巨鲨

想不到吧，我们竟然亲眼见过鲨鱼了！我们看见了很多种鲨鱼；见识了它们的超级感官能力；了解了各种鲨鱼的牙齿……这可不是一般的历险，因为阿诺德成了大家心目中的英雄，快跟我一起出游吧！

神奇校车：走进微生物

一说起“细菌”，总让人觉得脏兮兮的，但它可是微生物大家族的一员呢。这个家族大极了，而且无处不在！你想知道细菌是怎么传播的吗？你想知道发烧是怎么回事吗？来和我们一起变成小小微生物吧！

神奇校车：怒海赏鲸

听说鲸是世界上最大的哺乳动物，我从没想到有一天能那么近地看见它。人们常说的“鲸鱼”到底是不是鱼呢？你认识它们的喷雾吗？唔，还有很多有趣的知识。快跟我们坐着神奇校车去赏鲸吧！

神奇校车：巡航北极

你听说过北极吧？那里有温顺的北美驯鹿，勇猛的麝香牛，有趣的海豹，奇怪的旅鼠，最重要的是，大大的北极熊就生长在那里。这次带我们踏上旅程的可不是普通人物，怎么回事呢？快跟我来！

神奇校车：探寻蝙蝠

蝙蝠是人类研究已久的动物，有关它们的事情和趣闻可真不少。你想了解它们吃什么吗？你想知道它们住在哪里吗？你听说过回声定位吗？还有很多很多知识，让我慢慢讲给你听。

作者介绍

乔安娜·柯尔（Joanna Cole）做过教师和儿童读物编辑，现在专事写作。

布鲁斯·迪根（Bruce Degen）热爱大自然，已经为孩子们画了几十本图书。

他们创作的《神奇校车》系列丛书，表达了自己对科学的热爱。这套科普故事书，以新颖活泼、好玩易懂的形式，带领孩子们进入浩瀚的科学领域，畅游在地球科学、生物科学、太空科学、气象学、古生物学等学科中。

1991年，《神奇校车》获得了《华盛顿邮报》非小说类儿童读物奖。

网络留言

阿明现在对看书的兴趣越来越大，做妈妈的又有了新烦恼：

他不懂得控制自己，总是要把所有喜爱的书全部看一遍这天才算过得愉快。

他的最爱又很多，全部看一遍会很累的，累了就会大哭大闹，不好转移视线。

最近迷上了《神奇校车》，爱不释手。但上面的内容太丰富、知识点过多，我怕他累着。

——阿明妈妈

《神奇校车》，我已经买了很久了，不过还没有给丁丁看过。一半是觉得里面的内容适合3岁以上的孩子看，另一半是同情我自己，怕丁丁迷上以后，我就闲不了了。呵呵……

很多朋友近期都在和我抱怨，她们的孩子看到校车后，就迷上了，然后每天都要抱着书让妈妈讲。这套书的特点，就是画面似乎有些凌乱，家长看着眼花缭乱，孩子却乐此不疲哦。我打算让丁丁3岁以后再看这套书呢，所以给孩子讲，经验就不足啦。呵呵……

——丁丁爸爸

就故事而言，这本书就已经非常精彩，难怪很小的孩子都会喜爱。再加上图画古怪而夸张的风格，在细节处，特别是与弗瑞丝小姐的衣着相关的细节处，那种随意变化、漫无边际的幽默趣味，使这套书成为对孩子极具魅力的读物。

适合3岁以上亲子共读，也适合有独立阅读能力的少年读者自由阅读。

——小鼹鼠

连我都喜欢上了，何况小朋友！只是，我被彬彬缠得没有办法看完一本书，他要求我把所有的书都摆在他身边，一本接着一本讲！讲得我呀，昏天黑地，口干舌燥。真想把这东东藏到他找不到的地方。

——彬彬妈妈

终于看到有MM说的这套书了。

这是一套美国著名的科普画书，由乔安娜撰文，布鲁斯绘图。这套书目前引进了10册，包括《在人体中游览》《地球内部探秘》《探访感觉器官》《奇妙的蜂巢》等等。

适合年龄：3—14岁

红泥巴评价：叙事能力10分　画面和谐7分　风格特征10分

说明：非虚构类的图画书要想做到特别好玩不容易，《神奇校车》居然能做到。作为科普读物，《神奇校车》公认是一套内容相当严谨的书，但并不妨碍它同时也是好玩甚至搞笑的图画书。

——子梦园